LA ISLA DEL ABUELO

Para el Abuelo

ZIG-ZAG

Título original: Grandad's Island

Publicado por primera vez en Inglaterra en 2015 por Simon & Schuster UK Ltd.

1st Floor, 222 Gray's Inn Road, London, WC1X 8HB. A CBS Company.

© Del texto y las ilustraciones: Benji Davies, 2015.

© De la traducción: Editorial Zig-Zag, 2015.

Traducido por A. Schmidt, C.Bralic y C. Domínguez.

© De esta edición: Empresa Editora Zig-Zag, S.A.

Los Conquistadores 1700, Piso 10,

Providencia, Santiago de Chile.

www.zigzag.cl | contacto@zigzag.cl

ISBN: 978-956-12-2997-6

Primera edición, 2015. Octava reimpresión, 2023.

Impreso en China.

LA ISLA DEL ABUELO

Benji Davies

zig-zag

Al fondo del jardín de Simón, más allá del árbol y de la reja, estaba la casa del Abuelo.

Debajo del macetero había una llave con la
que Simón podía entrar cada vez que quisiera.

Un día Simón pasó a visitar
al Abuelo.

Pero no lo encontró
por ningún lado.

Entonces, cuando ya estaba por irse,
Simón escuchó que el Abuelo lo
llamaba.

–¡Ah! ¡Ahí estás! –dijo el Abuelo–.
Hay algo que te quiero mostrar.

Simón subió cuidadosamente la escalera.
Nunca antes había estado en el ático
del Abuelo.

Estaba lleno de cajas y de cosas viejas que el
Abuelo había recolectado alrededor del mundo.

El Abuelo quitó una sábana que tapaba una
gran puerta de metal al fondo del ático.
–Después de ti, Simón –dijo.

Simón giró la manilla –CLANC–
y empujó la pesada puerta.

Simón se encontró en la cubierta
de un barco muy alto, en medio
de un océano de tejados.

El Abuelo tiró de una palanca.
La bocina sonó ¡BUUUUUP!,
y el barco avanzó tambaleándose.
—¡A toda máquina! —clamó el Abuelo.

El Abuelo manejaba muy bien
el timón, y mantuvo un curso
suave a través de las olas.

Hora tras hora todo lo que veían era
mar y cielo, cielo y mar. Hasta que,
al fin, apareció algo en el horizonte.

–¡Tierra a la vista! –gritó Simón.

Soltaron el ancla y se dirigieron a la costa.

–Abuelo, ¿no quieres tu bastón? –preguntó Simón.

–No, creo que así estaré bien –dijo el Abuelo.

En la tupida selva de la isla hacía mucho calor.

—Debemos buscar un buen refugio —dijo el Abuelo.

Encontraron una vieja cabaña en la parte más alta de la isla, donde soplaba una brisa fresca que mecía los árboles.

Había mucho por hacer, pero con un poco de ayuda, pronto tuvieron todo en orden.

Exploraron la isla por todos lados, y en cada rincón descubrían nuevas maravillas.

Era el lugar más perfecto del mundo.
A Simón le hubiera encantado
quedarse para siempre.

Pero sabía que pronto tendrían que irse.

–Simón, hace un tiempo que quiero decirte algo –dijo el Abuelo–. Verás…

…estoy pensando en quedarme.

–Oh –dijo Simón–. Pero, ¿no te sentirás muy solo?

–No, no creo que me sienta
solo –dijo el Abuelo sonriendo.

Simón abrazó al Abuelo una última vez.
Lo iba a echar mucho de menos.

Cuando Simón zarpó, todos fueron a despedirse.

El barco se sacudía de un lado a otro mientras
atravesaba las olas.

El viaje le pareció mucho más largo sin el Abuelo.
Pero Simón logró timonear el barco y llegar seguro a casa.

A la mañana siguiente, Simón volvió a la casa del Abuelo.

Todo se veía igual que siempre.
Excepto que el Abuelo ya no estaba ahí.

En el ático reinaba el silencio.
La gran puerta de metal ya no estaba;
era como si nunca hubiera existido.

De pronto Simón escuchó algo que golpeaba
la ventana, y se preguntó qué podía ser.

En el borde de la ventana
había un sobre.

Simón lo abrió con cuidado.

Para Simón